My Cushion!

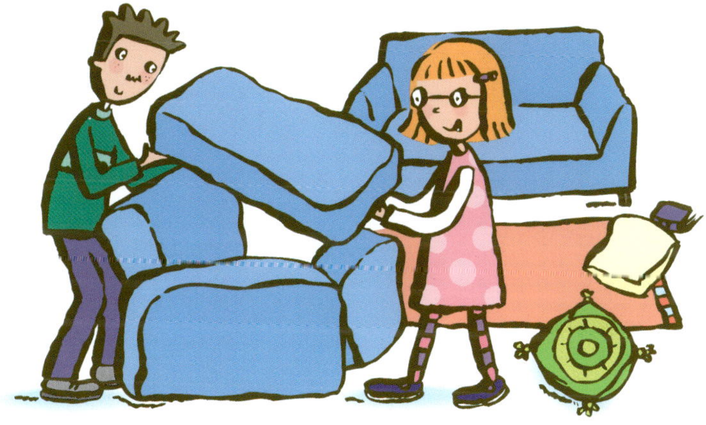

Alison Hawes
Illustrated by Tania Hurt-Newton

RIGBY

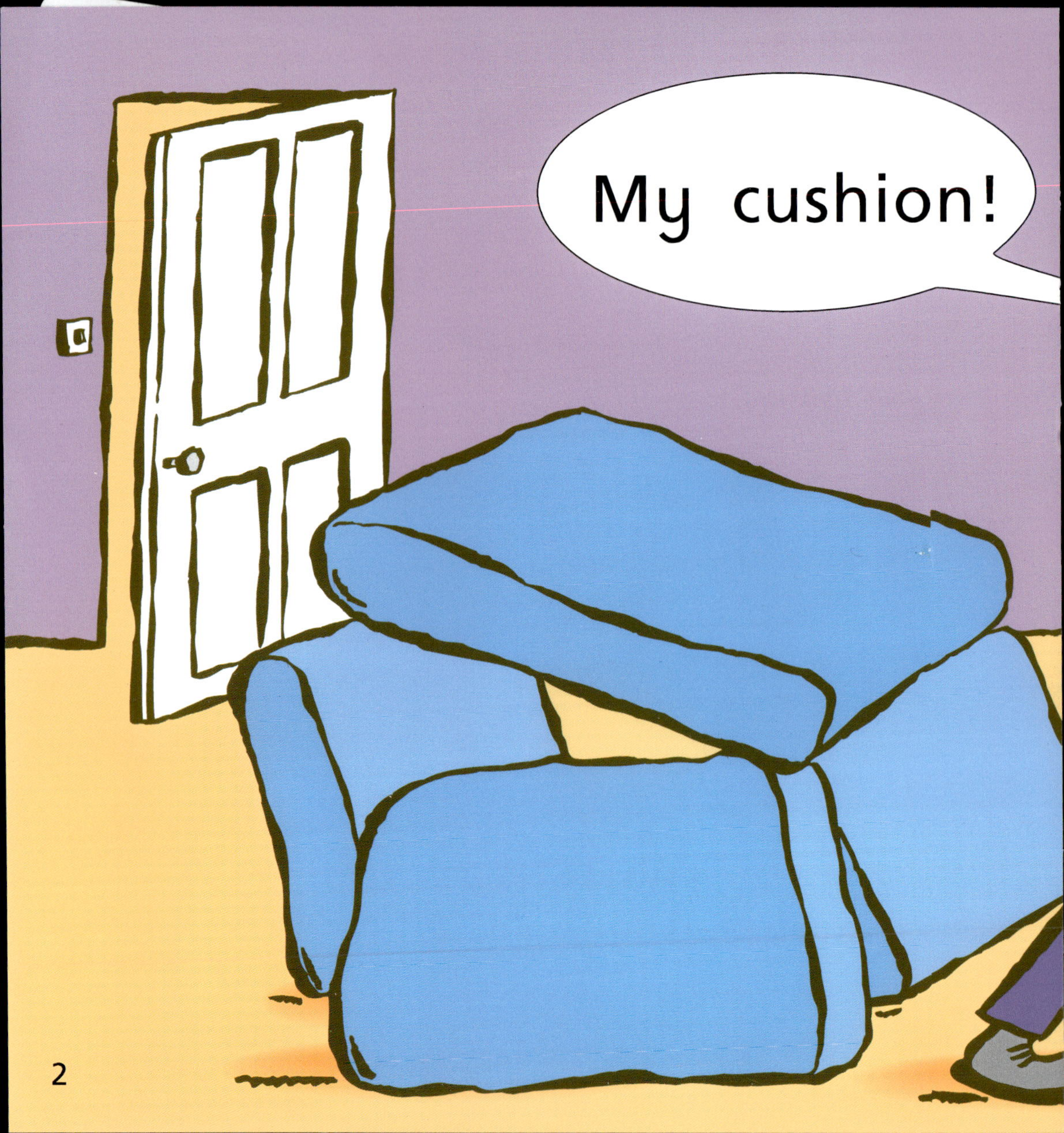
My cushion!

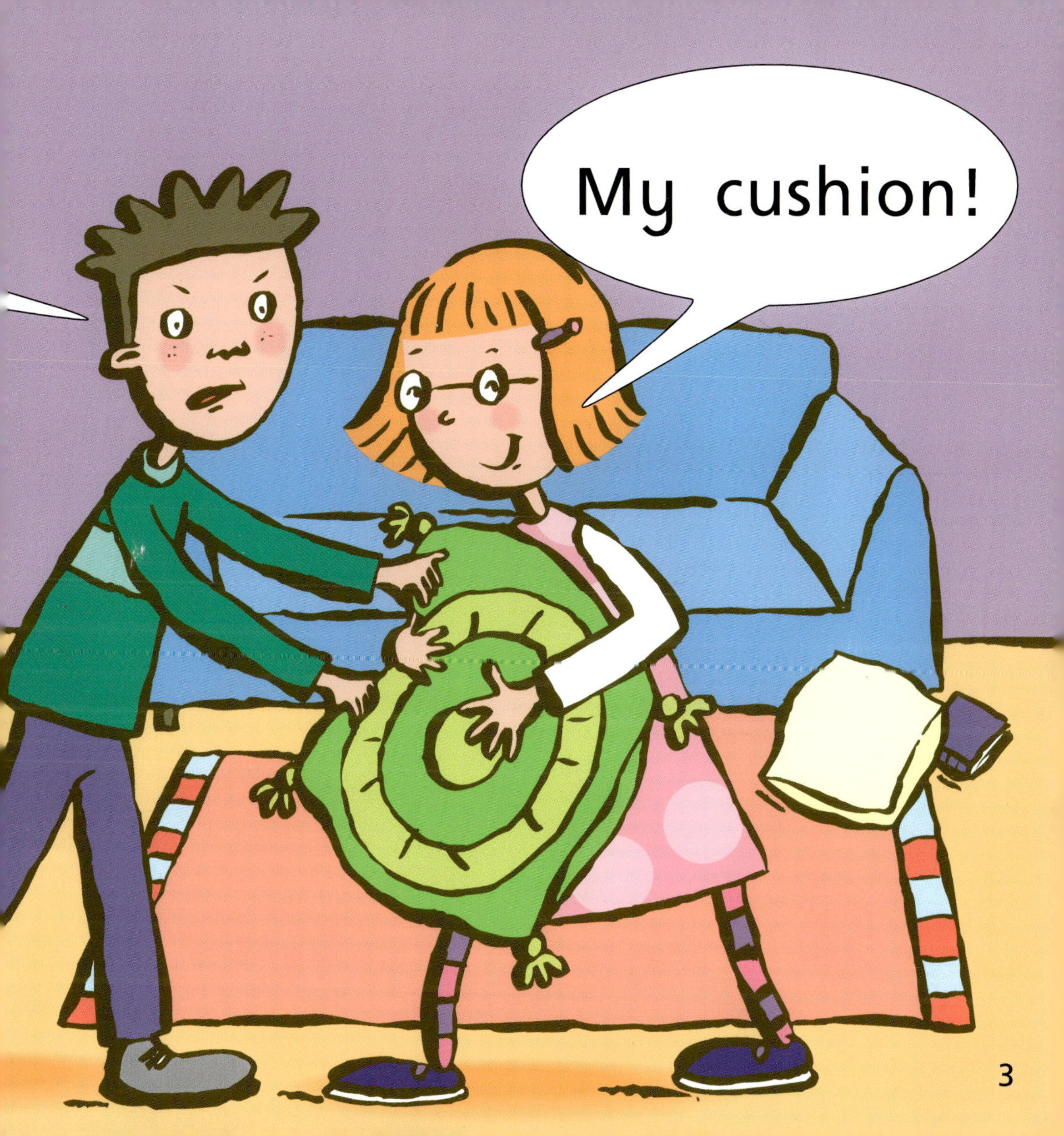
My cushion!

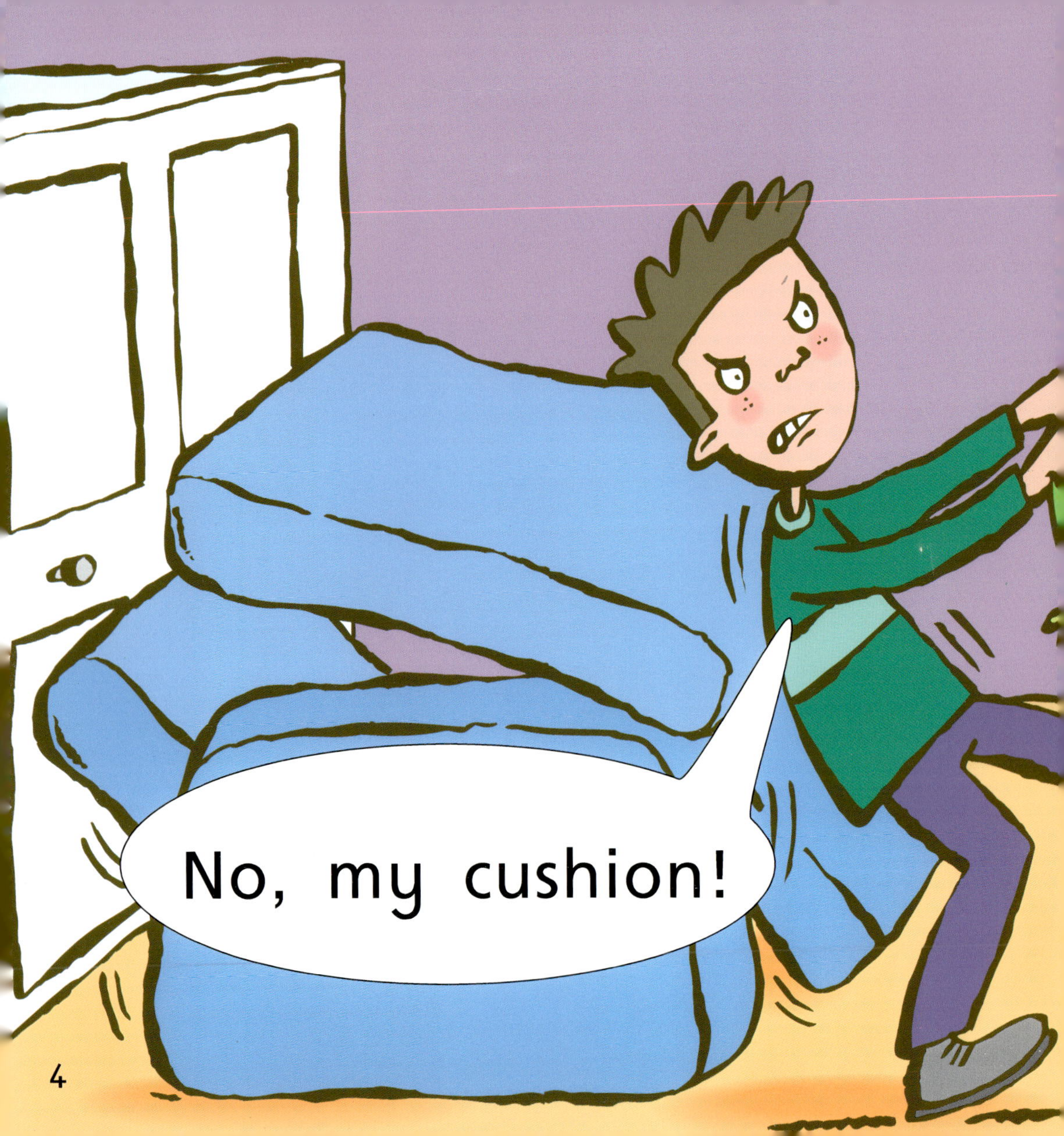
No, my cushion!

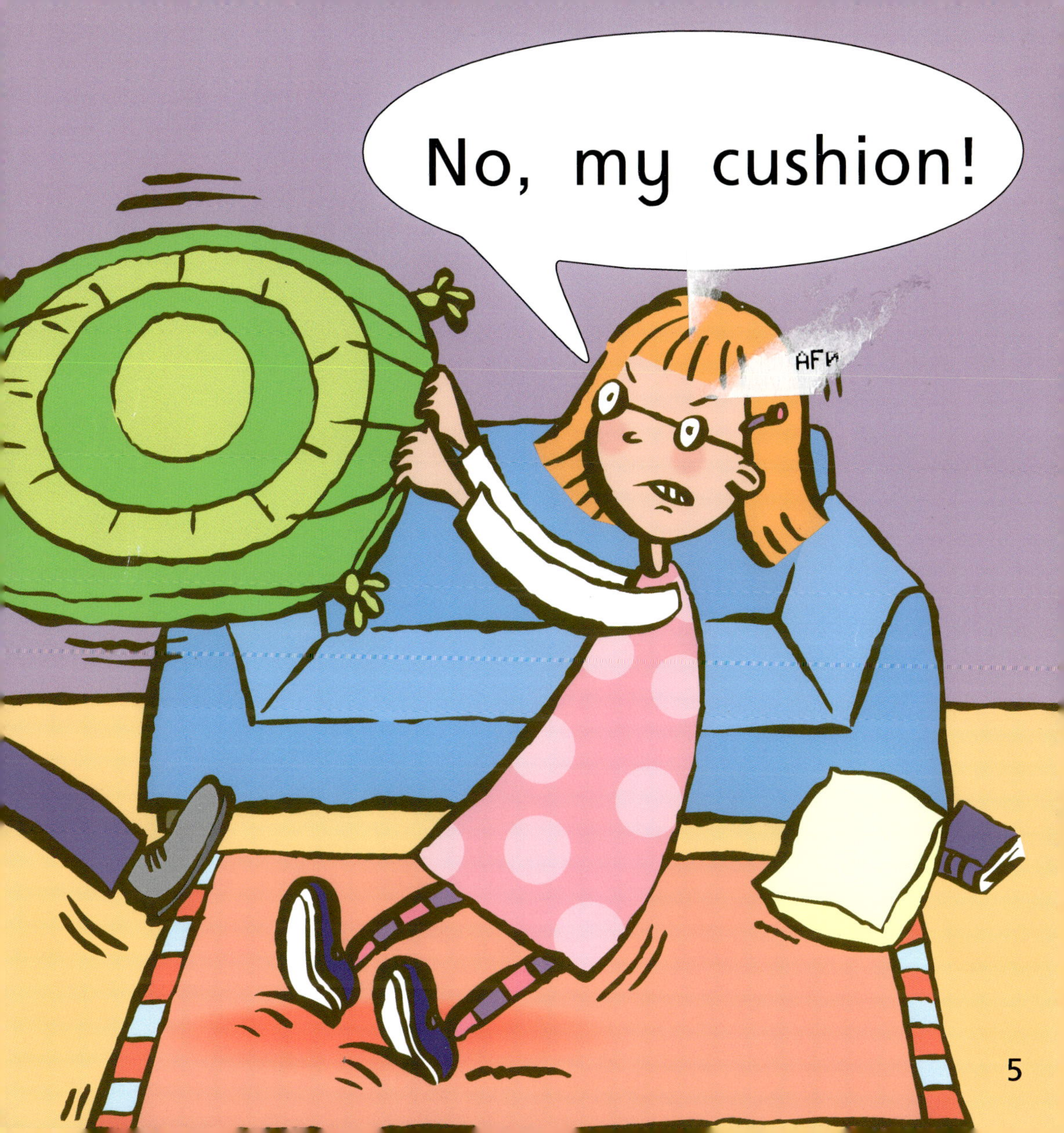
No, my cushion!

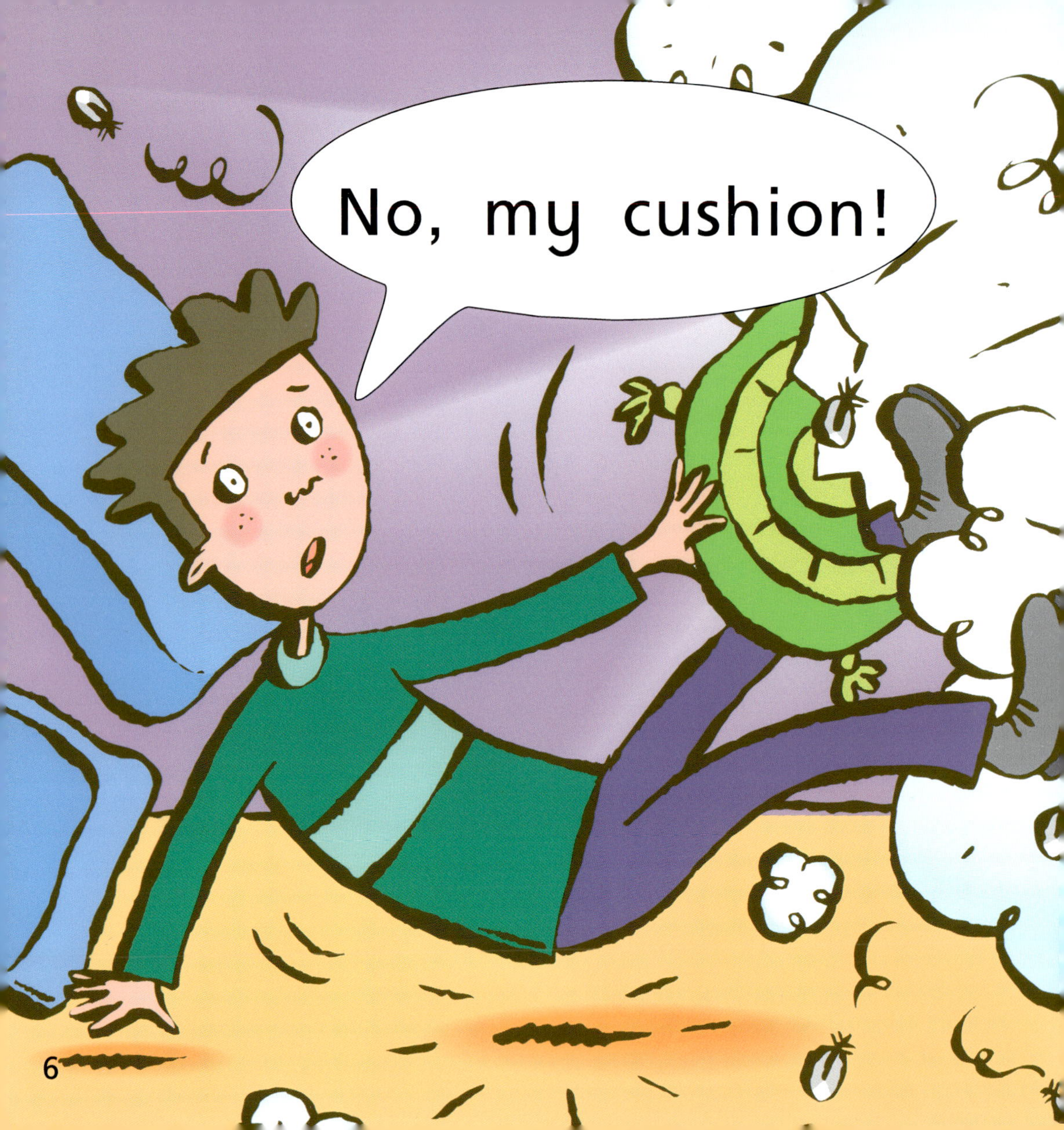
No, my cushion!

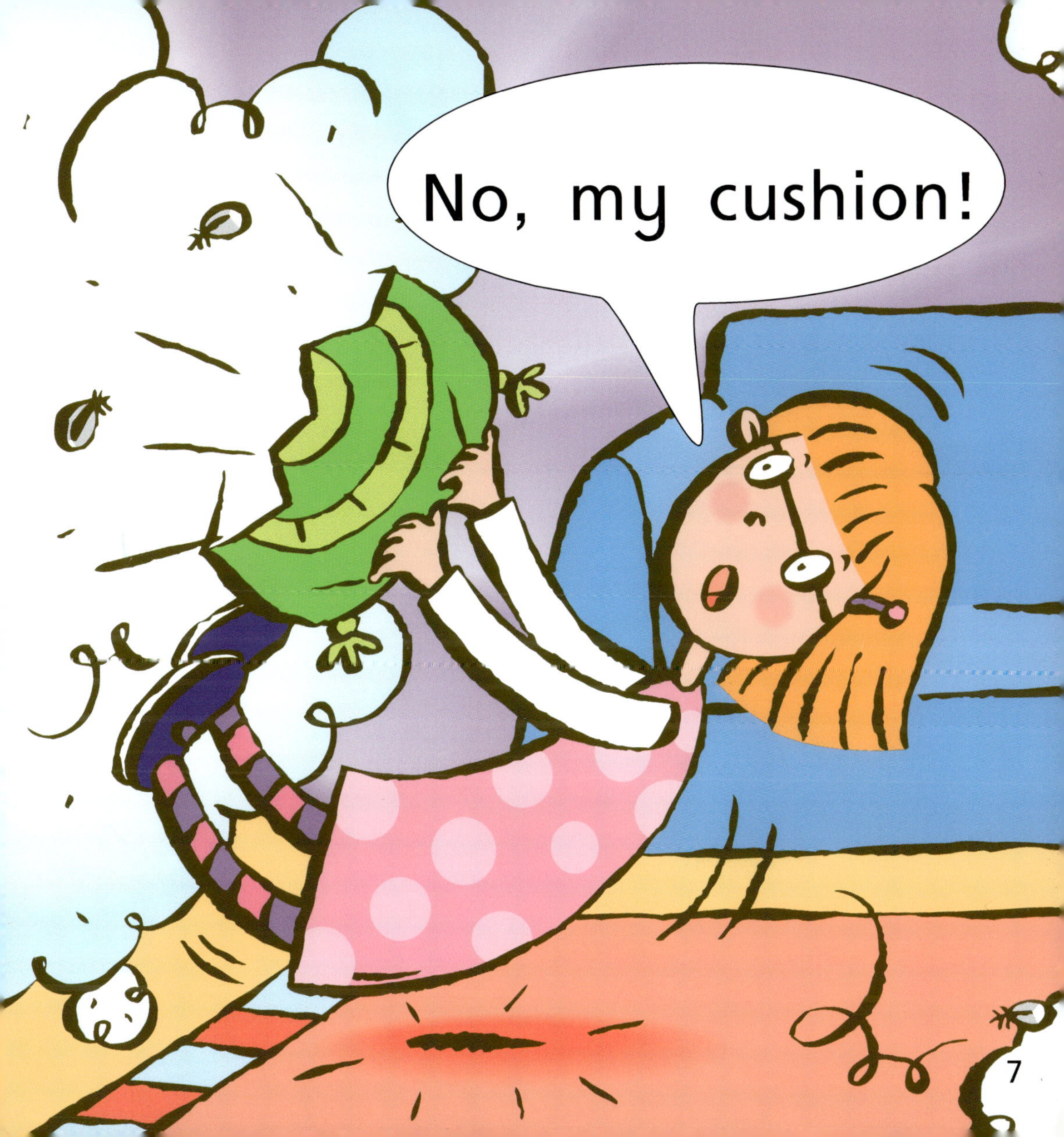
No, my cushion!

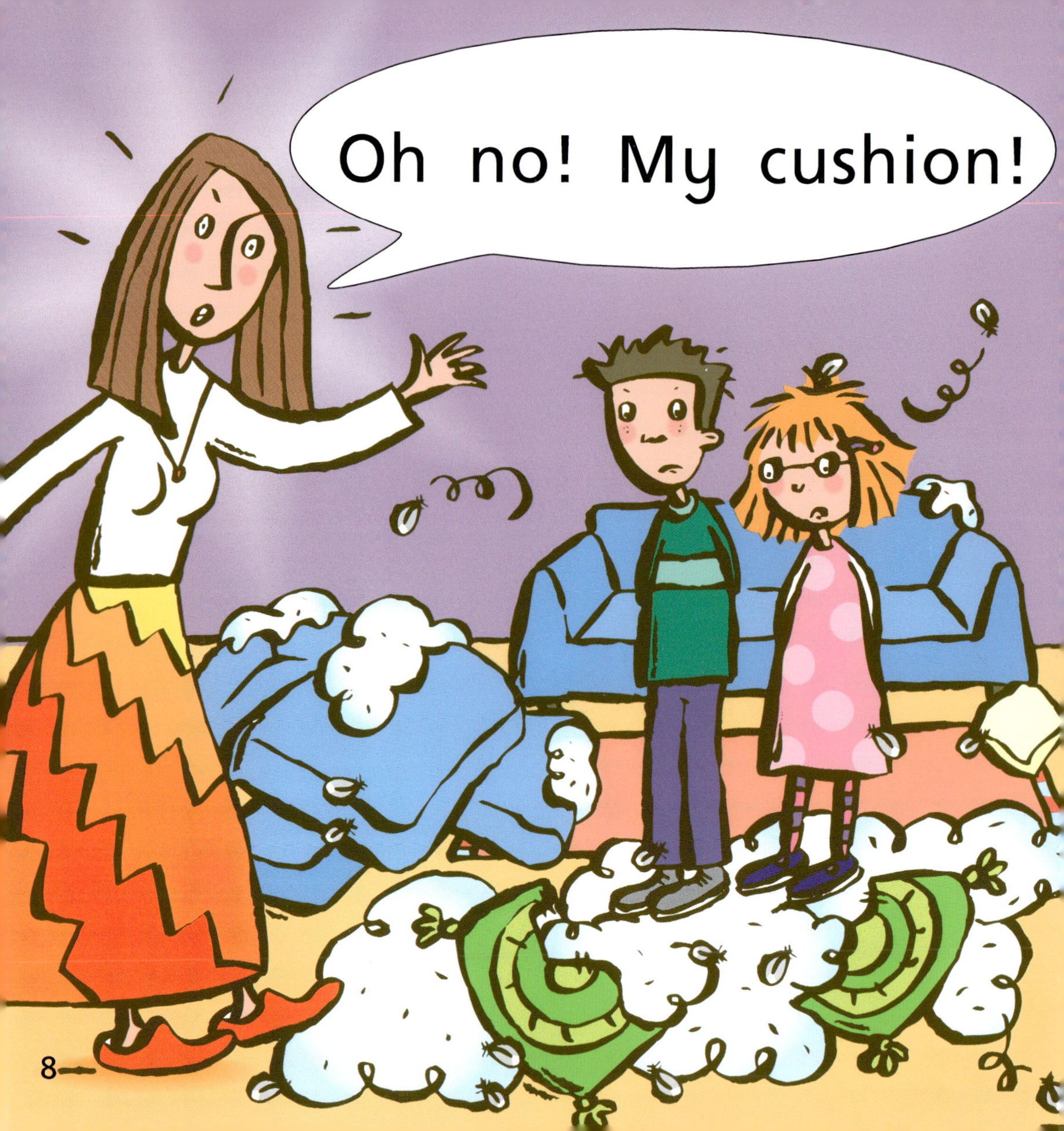
Oh no! My cushion!